KB077165

별처럼 빛나는 우리

남평초 3학년3반 어린이 씀
이정아 엮음

별처럼 빛나는 우리

발   행 | 2023년 12월 1일
저   자 | 남평초 3학년 3반 어린이 씀, 이정아 편
펴낸이 | 한건희
펴낸곳 | 주식회사 부크크
출판사등록 | 2014.07.15.(제2014-16호)
주   소 | 서울특별시 금천구 가산디지털1로 119 SK트윈타워 A동 305호
전   화 | 1670-8316
이메일 | info@bookk.co.kr

ISBN | 979-11-410-5539-4

www.bookk.co.kr

별빛우리처럼 빛나는

글·그림 남평초
3학년 3반 어린이들

CONTENT

제**1**부   내가 아주 사랑하는

제2부 민들레 같다

제**3**부 하늘에서 누가 물을 쏟았나

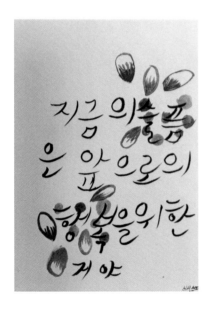

제4부 내가 되고 싶은 것

제1부

내가 아주 사랑하는

내가 아주 사랑하는 임하린

임하얀

내가 아주 사랑하는 동생
하지만 너무나 내 말을 안 듣는다
너무 화가 난다
그래도 내 동생이 너무 많이 아파서
내가 아주아주 많이 참는다
근데 엄마도 아파서
동생은 내가 돌봐야 한다.
너무나 힘들고 잠이 아주아주 많이 안 온다
너무 아니 엄청 힘들다
동생이 얼른 나았으면 좋겠다

나쁜 동생

이홍주

내 동생은 나를 놀린다.
그래서 나도 동생을 때린다
귀여울 때가 없다
내 동생은 왜 이럴까
나는 생각을 했다.
왜 이럴까
왜 이럴까
잘 안 해줘서?
안 놀아 줘서?
나는 또 생각 또 또 생각을 했다.

동생은 나빠

이태희

동생은 나쁘다
왜냐하면
내 물건인데 자꾸
자기 꺼라고 억지를 부린다.
그땐 내가 억울하다
왜냐하면 엄마가 자꾸
잠깐만 놀게 해주라고 한다.

그래도 동생이
귀엽고 예쁠 때도 있어
언제냐면 애교를 부릴 때다

동생이 나쁠 땐
돼지 아니면 원숭이 같다.
애교를 부릴 땐 귀요미 같다

내가 첫째여서 싫다.

강아지 엄마

최여준

강아지 같은 엄마
엄마가 웃을 때 소리가
강아지 같다.
엄마가 자는 모습도
강아지 같다.
엄마가 놀랄 때
강아지 같다.
엄마는 모두가
강아지 같다.

우리 동생

조혜진

우리 동생은 심술쟁이다. 계속 내 생일 선물을 달라고 한다. 나도 아끼는 건데 동생의 겉모습은 귀엽지만 마음은 아주 나쁜 6살 짜리다. 선물만 뺏어가는 건 아니다. 지우개도 가져가고 필통도 가져가고 학용품이란 학용품은 다 가져가서 집에 가져갈 수가 없다. 가끔은 나도 동생이 귀엽긴 하다. 자는 모습이 참 귀엽다. 심술쟁이라고 동생이 싫은 건 아니다. 내 물건을 자주 가져가지만 반대로 물건을 가져다 줄 때도 있다. 하지만 남의 물건을 허락도 없이 가져가는 건 안 좋은 일이라고 생각한다. 내 동생이 쪼끔만 더 착해지면 좋겠다.

내 형은 게을름보

박시형

내 형은 게을름보다.
맨날 제일 늦게 일어난다
내 형은 게을름보다
하는 일이 죄다 늦게 하기 때문이다
내 형은 게을름보다
왜냐하면
언제나 말하는 게 느리기 때문이다
나는 형이 왜 이리 느린지 모르겠다

누나가 있으면 생기는 일
이준모

누나한테 까불면
혼이 난다
계속 까불면
혼이 나니까

슬프다.

특별한 우리 언니

신다율

맨날 자기 방에만 있는
우리 언니
남들과 다르게
자기 방에만 있고 싶어 하는
우리 언니
아무리 사춘기여도
이해가 안 가!

편식쟁이 내 동생

김시윤

내 동생은 편식쟁이
엄마가 만든 매운 음식은
안 먹는데
매운 과자는
입에 쏙쏙
밥 먹을 땐 투정 부리는데
과자, 젤리, 쥬스 먹을 땐
맛있게 냠냠

별 같은 동생

김상우

우리 동생은
놀 때나 일어났을 때나
정말 귀여워
잠잘 때는
잠자는 아기 별님 같아
방긋방긋 웃는 얼굴
행복해 보여
같이 쭉~~ 있고 싶어

우리 엄마
유우영

엄마와 같이 밥을 먹으면
하하호호 웃음이 나온다
엄마가 일할 땐
도와주고 싶다
내가 삐질 때도 있지만
언제나 사랑해요
엄마

우리 아빠

김상우

항상 우리 아빠 일만 하시는데
우리는 놀고 있죠
그래서 나는
아빠 어깨를
주물럭주물럭
안마해 드리죠
이제부터
아빠 오시면
안마해 드릴게요

내 동생들
조은우

은찬이는 아기 사자다
조그만 일이어도 짜증내고
목소리도 커지고
엄마한테 후다닥 달려가서 이른다

은율이는 아기별이다
뭐든지 양보해주고
화도 잘 안 내고
웃기고 착하다

웃을 때 귀여운
아기 사자와 아기 별

제 2 화

민들레 같다

웃긴 내 친구

박시율

여준이는 너무 웃기다
항상 나를 웃겨줘서

배 아프다!!!
그만 웃겨 주면 좋겠다.

우리 친구

유우영

언제나 같이 있는 내 친구
언제나 웃음소리가 끊이지 않는다
싸우면 쒸익쒸익
그래도 금방 화해하는 우리
언젠가 헤어지니
지금 놀자
우리의 우정은 100프로

술래잡기

한채윤

  우린 친구 여러 명과 술래잡기를 한다. 술래가 "3, 2, 1"을 세면 우린 우당탕 헉헉 빨리 숨어 술래가 어딨는지 모르게 한다. 술래가 오면 "으악!" 하며 도망친다. 그때 종이 "땡땡땡" 애들은 "후다닥" 오다가 그만 "철퍼덕" 친구가 넘어지면 친구들은 친구를 잡아 같이 후다닥! 뛰어가 자리에 "털썩" 앉는다

다솜이와 있었던 일

조은우

다솜이와 처음 만났을 때
눈빛이 찌릿찌릿
다시 만났을 땐 힐끔힐끔
또 만났을 땐
"안녕? 같이 놀아도 돼?"
또 만났을 땐
랄라랄라

만나고 만나면서
점점 친해지는 친구

우리들의 무리

신다율

나의 친구들
때론 티격태격
또 언젠가는 활짝
웃음꽃이 피어난 우리
가끔씩은 미워도
더 잘 해 줄 걸
칭찬도 해 줄 걸
우리가 모여 있으면
꼭 붙어 있는 민들레 같다.

서준이와 있었던 일

최여준

서준이와 웃음참기를 했다
내가 먼저 웃긴 표정을 지으니
오리 같은 표정으로
웃음을 꾹꾹 참았다
이제 서준이가 웃기니
내가 돌하르방 표정으로
웃음을 꾹꾹 참았다
정말 재미있는 웃음참기

승연이와 은우

박다솜

내 단짝 은우
은우와 나는 정반대이다
은우는 귀여운데 나는 그렇지 않다
나는 극E고 은우는 극I다
MBTI도 다르고 성격도 다른 우리지만
궁합으로는 잘 맞아!
그리고 승연이는 극E고 혈액형도 같지
그래도 나는
친구가 좋은 거 같아

숙제

윤서준

꼭 해야 하는 숙제
엄마한테 빌어도 꼭 해야 하는 숙제
까끌까끌한 연필로 써서
내 글씨도 까끌까끌
조그마한 지우개로 지워
점점 작아지는 내 글씨

꼭 해야 하는 숙제
빠지면 안 되는 숙제

숙제

조은우

해도 해도 끝이 없다
게임은 시간이 눈 깜짝할 사이에 없어지는데
숙제는 해도 해도 끝이 없어
시간이 너무 늦게 간다
숙제하다 죽을 것 같다

운동회

백승연

운동회를 시작할 때
심장이 쿵쾅쿵쾅
누가 이길까?

헛둘헛둘
나는 힘차게 달렸다

그러다 콰당 넘어졌다
무릎이 아프다

재미있는 운동회

조윤

가자마자 듣는 소리
빨리 와
제일 싫은 뜀들이기

언제 시작해요?
잠깐만
언제 시작해요?
잠깐만

잠깐만이
너무 길어진다

운동회
유우영

오늘은 운동회 하는 날
두근두근
심장이 터질 것 같다
달리기는 나를 긴장시켜

친구들과
에어바운스
날아갈 거 같은 기분

너무나 좋다

체험학습

김시윤

차 타고 부릉부릉
체험학습 도착
선생님 말씀 듣고 체험 시작
그치만
설명은 들어야 한다

무서운 체험은
가슴이 덜컹!
재밌는 체험은
하하호호

생존수영

윤서준

어푸어푸 열심히 발차기를 하면
물이 와서
내 눈이 따끔따끔

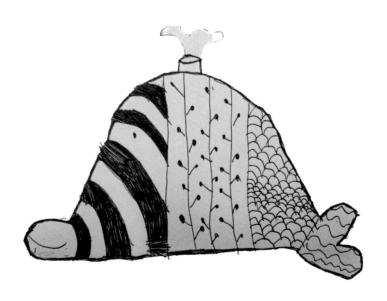

생존수영

조혜진

어푸어푸 수영
힘차게 발차기
으음으음 잠수
둥실둥실
물 위에 뜨기

와
재미있다

배추흰나비

윤서준

애벌레가 꿈틀꿈틀 기어다닌다
애벌레가 케일을 아삭아삭 갉아먹으면
애벌레가 조금씩 커진다
그리고 애벌레는 매일매일 커진다
커진 애벌레는 허물을 벗고
번데기가 된다
그리고 하루 이틀 매일매일 기다리면
애벌레가 번데기에서 나와
나비가 되어 훨훨 날아다닌다
훨훨 날아다니는 나비를
밖으로 풀어준다

방학

박시율

신나는 여름방학

그런데...

방과후 가야 돼!!

아... 가기 싫다

하지만
8월에 하이원 테마파크 가지
아, 좋다

방학

조윤

우와와와와
우와와와와!!

이틀 뒤에 방학이다!

방학엔 공부도 하고
숙제도 해야 하지만
남는 것 시간이지
마음껏 놀 수 있는 방학
빨리 와라

방학

유우영

방학이 되면 기분이 좋다
방학의 큰 단점!
그것은

방.학.숙.제
놀고만 싶은데
그럴 순 없다

어...?
내일이 개학
방학은 빛의 속도로 간다

흑흑 내 방학

방학식

조은우

드디어 방학식이다
학교가 끝났다!
유후~

빨리 친구들과 놀아야지
나랑 놀 사람 여기로 와

심판을 한 날

박다흰

심판을 했다. 피구를 했는데 공이 펑?! 날아가서 1반을 맞혔다. 근데 반대쪽 반도 똑같이 펑?! 공을 우리 반 애들한테 맞혔다. 우리 반 애들이 하나, 둘씩 사라지기 시작했다. 1반 애들이 공을 펑! 펑! 잘 던졌다. 그래서 우리 반이 1명만 남았는데 그 1명의 친구도 맞아 버렸다. 그래서 속상했지만 재미있었다. 근데 마치 펑!!의 날 같다.

재미있는 경기

김태윤

재미있는 경기를 했다
피씩~
피구를 하였다
피씩 펑~
시끌법석
마트에 온 것 같다.

'아웃' 소리가 들리자
"끼약" 소리가 아주 시끄럽게 났다

"펑"
"피슝"
너무 시끄럽다
"난 피했쥐, 너무 재미있다"
하지만 졌다
그래도 잘 했다.

피구

유우영

"슈우우 웅"
펑!
공에 맞았다
얼굴이 욱신욱신
하지만 선을 넘어서 살았다

"아싸!!!"
울려 퍼지는 소리
마치 북같다

피구

김시윤

공이 통통 튀긴다

이쪽으로 저쪽으로
계속 왔다갔다 하는 공
참 어지러워 보인다

재미있는 피구

김수범

피구를 하는
아이들의 목소리가
우르르 쿵쾅

공이 높이 올라가서
아래로 쿵쾅

아이가 공에 맞으면
쿵쾅
하고 넘어진다

아쉬웠던 피구

조혜진

오늘 피구를 했다. 1반과 3반이 붙었다. 3반은 22명이고 1반은 20명이었다. 그래서 우리 반에서 승연이랑 다흰이를 뺐다. 그래서 20대 20이 됐다. 그 다음에 피구를 했다. 그런데 우리 반에 피구를 잘 하는 애가 4명이 있다. 그런데 4명 중 1명이 안 왔다. 그래도 3명이어도 이길 수 있겠지 라는 생각이 들었다. 그런데 그건 나만의 생각이었다. 1반의 승호라는 남자애가 정말 잘 해서 우리 반에서 제일 잘 하는 애들을 다 죽였다. 그래도 탈락을 해도 공격할 수 있었다. 하지만 우리가 졌다. 그래서 정말 아쉬웠다. 그래도 재미있었다.

체육에서 공이 통통 이리로 줘, 아니야 이리로 줘, 정말 어지럽다. 공도 돌면서 얼마나 어지러울까? 공이 참 불쌍하다. 역시 편한 사람이나 물건은 없다.

제3부

하늘에서 누가 물을 쏟았나

비 오는 날

조은우

하늘에서 누가 물을 쏟았나
끝이 없이 오는 비
나는 책을 읽고 있다.

누가 밖에서 문을 두드렸다
나는 문을 열어 보았다
비가 우리 집에 놀러 왔다
비가 그치니 무지개가 떴다

비야 또 놀러 와!

비오는 날

윤서준

비가 또로록 또록 내리니
뽀로로가 생각난다

이번엔
비가 후루루룩 내리니
라면이 생각난다

빗소리 때문에
이상한 생각을 하게 된다.

비오는 날

백승연

쪼르륵 쪼르륵
똑똑똑 누군가가
문을 두드린다
문을 열어보니
비였다
비의 친구
달팽이와 도마뱀도 따라왔다.
새싹도 돋아난다.

팝콘

김수범

맛 좋은
팝콘

바삭
바삭
사르르르르

하늘을
날아가는 것 같아요

팝콘

조윤

팝콘은
입에서
사르르 녹고
옥수수 껍데기만 남는다

때로는 바삭하고
때로는 눅눅하고
그래도
팝콘은
매일매일 맛있다

팝콘

이지훈

옥수수가 통통 튄다

한 번 먹으면
구름 맛 같고
두 번 먹으면
입에서 사르르르 녹는다

팝콘

임하얀

옥수수팝콘은 통통 튀어서 탄산 같다
뽀글 머리 같고
영화 볼 때 먹으면서 보면 더 맛있고
벚꽃 같아서 예쁘다
구름 같기도 하고
이빨 같기도 하다

팝콘

조은우

통통통 튀는 소리
옥수수가 팝콘이 된다
팝콘을 먹으면
구름처럼 폭신폭신
영화 보면서 먹으면
톡톡톡, 통통통
튀는 팝콘을 보면
나도 통통통 튀는 것 같다.

팡팡 튀는 팝콘

백승연

재미있는 영화를 보러 왔는데
팝콘이 팡팡팡
뿍뿍뿍 팝콘이
높이 뛰기 경기를 하고 있는 것 같다
나도 같이 하고 싶다.

불행한 강아지똥

윤서준

강아지똥은 참새에게 비난받았다
참새는 갔다
강아지똥은 슬펐다

흙덩이가 강아지똥을 놀렸다
흙덩이는 갔다
강아지똥은 슬펐다

암탉이 강이지똥에게 상처를 줬다
암탉이 갔다
강아지똥은 슬펐다

강아지똥

박시형

참새에게 맞고
거름에게 나쁜 말을 듣고
암탉에게 또 맞고
하지만 민들레가 있으니
멋진 똥이야

강아지똥

이지훈

나는 무엇일까
나는 뭐하는 걸까

흙이 왔다
나를 놀렸다
울음이 터져 버렸다

나는 대체 뭐하는 걸까

민들레가 말했다
"너는 내가 자라날 때 꼭 필요해"

세상에 소중하지 않은 건 없구나.

강아지똥

신다율

나에게 누군가
터벅터벅 다가오며
그게 민들레였다
난 민들레를 보고
또르르
눈물이 나왔다.

강아지똥

최여준

강아지똥은 너무 슬프다
너무 외로워한다
강아지 응꼬에서 태어나
참새가 먹이인 줄 알고
콕콕 쪼아봤는데
개똥이라고 그냥 무시하고 가버린다
저기 멀리서 흙덩이가 다가와
강아지똥을 위로해준다
또 병아리들과 암탉이 와
먹이인 줄 알고 콕콕 쪼아 봤는데
개똥이라고 그냥 무시하고 가버린다
그리고 민들레가 와
나의 거름이 되어 달라고 하자
강아지똥은 꽃이 되고
민들레 씨가 되었다

무지개 다리

박다흰

얼마 전에 할머니 댁의
누룽지 강아지가
무지개 다리를 걸어갔다
나와 할머니는
슬픔에 잠겨 있었다
그 모습을 본 삼촌이
강아지를 입양해
누룽지라는 이름을
그 개한테 지어 주었다
우리는 그 강아지가 너무 사랑스러웠다

꿈

방준석

꿈은 내 마음대로 꾼다
졸릴 때 꾸는 꿈

근데
나만
악몽이 있는 것 같다

허수아비

유우영

논을 지키는 경호원
허수아비
새들을 쫓아낸다
허름한 옷
꿰맨 얼굴 때문에
혼자인 허수아비
허수아비도 외롭겠다

노을

방준석

아침에 바라보면
멋있고
저녁에 바라봐도
멋있다

가을 노래
박다흰

바람이 휭휭 부네
바람을 따라가는 나뭇잎
나뭇잎은 어디로 가지?

바람이 휭휭 부네
바람에 나무가 흔들흔들
나무는 안 힘들까?

가을 밤

이홍주

달같이 어여쁜 별이
하늘을 뚫고
저 멀리 우주까지 가니
예쁘다

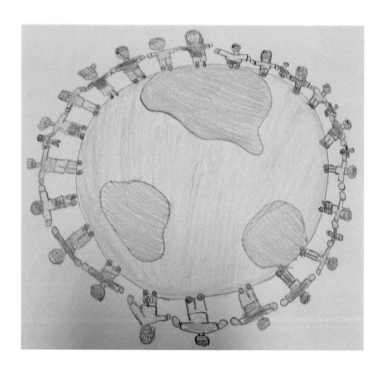

연날리기

박다솜

바람이 불어 나가니
웬 연이 있어 날렸는데
안착도 잘 할 것 같아
해보니 잘 되었네
하고 마저 연을 날린다

가을비

최여준

가을비가 내린다
주룩주룩 주르륵
물방울이 톡톡
웅덩이가 생긴다
날씨는 먹구름이 피고
이슬이 톡톡 창문에 맺힌다
나는 얼른 그늘로 뛰어가 비를 피한다
그늘에도 비가 들어와 집으로 뛰어간다
집에 들어오니 너무 습하다
어느 새 비가 그친다
비가 그칠 때 기분이 제일 좋다

제4부

내가 되고 싶은 것

너무 아픈 날

김상우

아파서 울고
힘들고 아파 또 울고
너무 힘들어
기침이 콜록콜록
머리가 뜨끈뜨끈
너무 힘들어

빨리 빨리 집에 가 낫고 싶어
땀이 쭐쭐 나 멈추고 싶어

늘 힘든 하루
임하얀

학교가 끝나면 종이 울리고
방과후를 뛰어 가고
끝나면 후다닥 학원을 가고
힘들게 공부를 하고 끝나서야 집에 가서
공부하고 동생들을 놀아 주고
다 놀아 주면 후다닥 또 후다닥
엄마 심부름 갔다 오고
다시 동생들 놀아 주고 그래도
엄마 심부름이 제일 재미있다.

두려움이란

박시율

부모님이 한 시간 뒤에 온다고 해서
한 시간 뒤에 전화했을 때
전화 안 받을 때
그래서
30분 뒤에 전화했더니
30분 늦게 온다고 할 때

행복이란

이홍주

행복이란 가족과 함께 하고 친구와 함께 한다. 함께 하고 함께 즐긴다. 뭘? 축구게임을 해서 지면 진 거고 그래도 축구게임을 하는 게 행복하다. 달리기를 해서 우리반이 꼴지를 해도 달리기 해서 행복하다. 행복한 건 이긴 것은 필요없고 오직 함께 하는 게 행복이다.

불안이란

윤서준

학교 첫 날
교실 문 앞에 서니

심장이 콩닥콩닥
온 몸이 부들부들 떨린다

공부를 잘 못하면 어쩌지?
걱정이 된다

교실 문 앞에서
많은 생각을 한다.

긴장이란

이준모

태권도를 처음 다닐 때
나랑 친한 친구
없으면 어떡하지 하는 생각이 들 때

행복이란

유우영

돈이 많아지는 것?
아니
자랑을 하고 다닐 때?
아니
난
평범한 일상이
잔잔한 인생이
행복이다.

빡침이란

박지후

하지 말라고 했는데
계속 말 따라 하면서
내 기분 잡쳐놓고
친구랑 절교했을 때
그냥 빡침

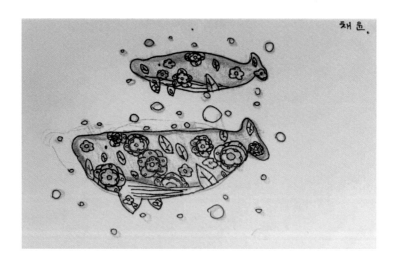

슬픔이란

김수범

월요일 아침
학교갈 준비만 해도
슬픈 월요일
학교갈 시간이
빨리 가는 시계

슬픔이란

박다솜

11일에 다은이 언니의 생파를 했다 하지만 언니 친구들만 있어 난 그리 신나게 놀지 못했다. 언니들과 성격이 다르고 다은이 언니가 놀아 주지 않고 자신만 놀아 나는 혼자 그네에서 울고 있었다

감동, 속상함이란

김상우

어느날 갑작스럽게 찾아온 독감
콜록!콜록!
골골골 침대에서 자고 있는데
엄마가 순간이동한 듯이
띠디디딩
집에 왔다
방에 들어오시더니
머리를 만져주며
다 나으면 맛있는 거 사줄게
라고 말했다

다 나았더니
아직도 안 사줬네

미안함이란

김태윤

엄마에게
아무말 없이
학교를 왔다

엄마에게
미안하다

학교 끝나고
미안하다고 해야겠다

미안한 감정

이온율

다율이랑 나랑 싸웠는데
내가 선생님한테 일렀거든
근데 다율이도
자기를 따돌리는 것 같다고 했어
그래서 미안했어

지루함이란

김시윤

수업은 지루해
6교시는 너무 지루해
맨날 5교시만 하고 싶다

월화수목금 다 5교시라니!
5교시는 너무 지루해
맨날 4교시만 하고 싶다

자랑스러움이란

최어준

축구게임을 했다. efootball 리그에서 나는 디비전 6인데 디비전 1인 사람을 만났다. 경기가 시작됐다. 상대팀이 갑자기 수비를 뚫고 슛을 때렸다. 쾅! 크로스바에 맞았다. 내 공격 기회가 왔다. 하프라인 밖에서 중거리를 때렸다 하지만 골키퍼 정면으로 갔다. 또 한 번 내 공격 기회가 생겼다. 그냥 때렸다. 골키퍼를 맞고 다시 튕겨져 나왔다. 다시 한 번 때려 봤다. 하지만 오프사이드다. 후반 90분 추가시간 6분, 중거리를 때렸다. 들어갔다. 경기 막판에 극장골을 넣었다. 디비전 5가 됐다.

기쁨이란

한채윤

야호~ 5교시다!
친구들은 5교시가 끝나면
벌떡 일어나 책가방을 싸 집으로 후다닥
누구보다 재빠르게 친구들 불러 놀고
친구들 가면 집으로
집에선 게으름뱅이처럼 웃는 게 행복이다.

프로게이머

최여준

나는 프로게이머가 되고 싶다
실력도 좋고 인기도 많고
인정받으니까
프로게이머가 좋다
돈도 많고 뿌듯해서
프로게이머가 좋다
모든 걸 가진 프로게이머가 되고 싶다

요리사가 되고 싶은 나

김상우

좋아하는 것은 요리
되고 싶은 것은 요리사
오, 딱 맞네, 딱 좋아
이것도, 저것도 맛있다
역시 나는 요리사가 될 것 같다
빨리 커서 멋있는 요리사가 될 거야
나 자신 내 꿈을 응원해, 파이팅

내가 되고 싶은 것

유우영

내가 좋아하는 것은 가족이다
난 아빠처럼 든든한 가장이 되고 싶다
또 엄마처럼 친절한 사람이 되고 싶다
내가 가장 행복한 건
가족과 함께 있는 것
나는 평범한 가장이 되고 싶다.

딱풀 같은 사람이 되자

백승연

난 딱풀 같은 사람이 되고 싶다
왜냐하면
도움이 필요한 사람을
가을 바람처럼 지나치지 말고
딱풀처럼 딱! 딱!
붙어서 도와주고 싶다

가을바람처럼
지나치지 말고
딱풀처럼 딱! 딱!
붙어서 도와주자

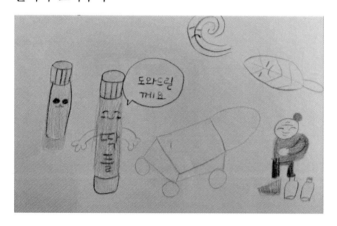

나의 꿈

조은우

나는 약사가 돼보고 싶다

약사가 돼서 아픈 사람들 낫게 해주고

많이 웃고 돈도 벌고

약사가 돼서 많은 걸 해보고 싶다

그 중에서도

아픈 사람들을 낫게 해 주는 게

가장 재미있을 것 같다

나의 장래 희망

박다솜

나는 꿈이 제빵사다
나는 빵순이라
떡도 빵도 너무 좋아하고
무엇보다
꿈이 작다는 가족의 의견에도 불구하고
난 결정했다
커서는 이 꿈을 꼭 간직할 거다

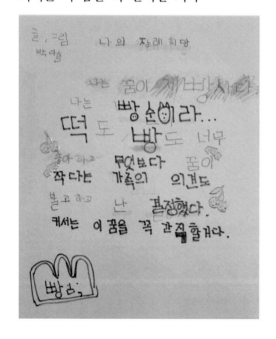

어떤 사람이 되어야 할까

김시윤

끄적끄적
칠판에 문제를 적는다
난 선생님이 되고 싶다
귀여운 아이들을 보며
환하게 웃고 싶다
그럴려면
지금 더 열심히 해야겠지?

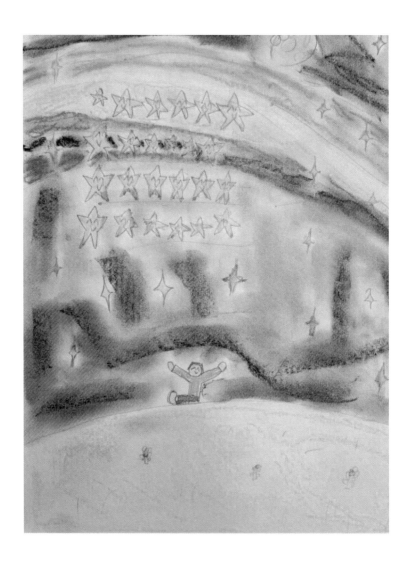

친구들의 시를 읽고
-댓글모음

우리 형이랑 똑같음 - 조윤
<내 형은 게을름보>, 박시형을 읽고

첫째가 꼭 안 좋은 건 아니야 - 채윤
첫째라서 좋은 점도 있어 - 다흰
<동생은 나빠>, 이태희를 읽고

나 말한 거야? - 여준
공감, 그리고 구독할게요 - 태윤
글씨가 짧지만 잘 씀 - 시형
<웃긴 내 친구> 박시율을 읽고

엄마를 잘 관찰했네. 애쓴 걸 칭찬합니다 - 태윤
<우리 엄마> 유우영을 읽고

젤리는 맛있으니까 편식하지 - 승연
<편식쟁이 내 동생> 김시윤을 읽고

우리는 우리가 일하고 아빠가 놀음 - 다솜
<우리 아빠> 김상우를 읽고

나는 동생 없는데, 부럽다 - 여준
내 동생이랑 반대구나, 좋겠다 - 시윤
<별 같은 동생> 김상우를 읽고

달팽이 귀여워 - 채윤
도마뱀 귀엽겠다 - 다흰
<비오는 날> 백승연을 읽고

그냥 우리 언니네 -시윤
공감 공감 똑같은 사람인 줄 -지후
우리 오빠도 사춘기 옴 -다흰
내 형도 곧 사춘기 n.n -시형
<특별한 우리 언니> 신다율을 읽고

갑자기 팝콘 먹고 싶네. 통통을 잘 표현함 -시형
<팝콘> 조은우를 읽고

아프겠다 - 채윤
무릎 안 아팠어? 은우
<운동회> 백승연을 읽고

실감나네, 아기자기한 시네요 -다솜
<비오는 날> 조은우를 읽고

빛은 1초에 지구를 7바퀴 돌며 방학의 시간이 빛이라면
0.001초다 - 시율
나도 공감 - 상우
정보 지식이 들어오면 시간이 느리게 간다 - 우영
<방학> 유우영을 읽고

와, 에어바운스 재밌었는데 잘 표현했다! - 상우
<운동회> 유우영을 읽고

힘들겠다. 파이팅, 힘내 - 은우
<늘 힘든 하루> 임하얀을 읽고

나도 외로울 듯 -상우
<허수아비> 유우영을 읽고

아, 배고파, 언제 와!! 라는 생각 해본 적 있어 - 상우
<두려움이란> 박시율을 읽고

공~~감 - 우영

학교 오면 시간 느림 - 시율

<슬픔이란> 김수범을 읽고

시 쓰기 수업 후기

나는 읽은 시 중에 하얀이의 시가 기억에 남는다. 매일 **바쁘게** 움직이니까 공처럼 이리 갔다 저리 갔다 정신없을 것 같다. 또 시윤이의 시도 재미있었다. 피구 공이 이리 갔다 저리 갔다 하는 게 제일 인상깊고 재미있었다. 내 마음을 시로 표현하니까 재미있고 더 하고 싶은 마음이 생겼다.

조은우

시쓰기는 재미있다.

무슨 시를 쓰든 재미있다.

내가 지금 쓰고 있는 시도 재미있다.

시를 다 쓰고 읽으면 뿌듯.

오늘도 **끄적끄적**

종이에

재미있는 시를 쓴다

김시윤

시 쓰는 게 너무 싫다. 어렵고 생각하는 것도 힘들다. 하지만 꼭 해야 한다. 그래도 너무 하기 싫다. 싫은 점만 있는 것은 아니다. 글쓰는 실력이 늘고 글씨체도 바르게 된다.

시 쓰기 싫지만 난 지금 그냥 글을 쓰고 있다. 역시 시랑 글 쓰기는 어려운 거구나. 그래도 글도 잘 쓰고 글씨도 바르게 쓰려면 열심히 써야 하니까 노력을 해야 한다.
조혜진

시를 쓰는 수업이 있었을 때 시를 썼다. 시를 다 쓰고 읽어보니 잘 써서 뿌듯했다. 그리고 어떻게 쓸지 생각이 안 날 때는 꼭 시간이 다 되어갈 때 생각이 나서 그때 빨리 쓴다. 그래서 마음이 급하다.
윤서준

나는 시를 써서 재밌는데 힘들다. 그리고 시를 쓰는데 머리 안이 텅 비어 있는 것 같다. 시를 쓸 때마다 좀 힘들다. 친구들의 시를 보고 친구들은 생각이 많구나 하는 생각이 머리 속을 돌고 또 돈다.
박다흰

시 쓰기 수업을 처음 할 때는 어색하고 잘 못 썼다. 조금씩 연습하니 익숙해졌다. 점점 시 쓰는 게 재미있어지고 기분이 좋을 때 쯤에 동시집을 만들었다.

친구들이 만든 시에 댓글도 달고 우리 반 시집도 만들었다. 우리 반 시집의 이름은 "별처럼 빛나는 우리"라고 정했다.

어떤 표지가 될지 모르겠다. 지금까지 즐겁고 좋은 시 쓰기 수업이었다 .

이지훈

서준이의 시를 읽고 "꼭 해야 하는 숙제"라는 글을 보니 정말 인상깊은 글이었다. 엄마한테 빌어도 해야 한다는 말을 보니 공감되었다. 시를 쓰면 시간도 잘 가고 재미있다. 사람들에게 좋은 댓글도 달 수 있고, 나에게 좋은 댓글이 달리면 뿌듯하고 기분이 좋다. 공부도 되고 계속 읽게 된다. 감각적 표현도 들어가 훨씬 실감나게 글을 읽을 수 있다. 정말정말 시는 글도 재미있고 그림도 예쁘고 재미있다.

시라는 것이 생긴 게 참 다행이다. 다 읽어도 저절로 다시 읽게 된다. 시를 쓰는 것이 재미있으니까 손이 아파도 꾹꾹 참고 견뎌서 쓰게 된다.

정말 재미있는 시, 시시하지 않은 시

최여준

시를 써 보니 정말 재미있고 즐거웠다. 노래를 시로도 바꿔보고 나만의 동시집도 만들었다. 이번에는 별처럼 빛나는 우리 책을 실제로 만드니 긴장되고 기뻤다. 처음에는 시가 잘 안 써져서 우울했지만 계속 써 보고 연습하니 이젠 잘 쓴다. [내 친구 유우영이]라는 시도 써 보고 우리 집 강아지에 관한 시도 써 보았다.

난 선생님이 대단하다고 생각했다. 왜냐하면 혼자 하기도 힘든 시집을 3학년 어린이들과 한다고 하니 나는 힘들 것 같았다. 나도 커서 선생님 같은 사람이 될 거다.

백승연

친구들의 생각은 아주 공감되거나 또는 창의적이었다. 그 중에서 나는 [비오는 날]이 가장 공감됐다. 난 시를 써서 틀에서 벗어난 생각을 할 수 있게 되었다. 시쓰기는 생각에 도움을 주는 것 같았다. 시쓰기를 하고 나니 머리 속에서 생각하고 그걸 바로 쓸 수 있게 되었다. 시에 그림도 그려서 그림 실력도 늘었다. 아주 좋았다. 시 쓰기 최고!

유우영

공이 왔다갔다, 공이 어지럽다는 문장이 기억에 남았다. 왜냐하면 공이 살아 있다는 말과 공이 진짜 어지럽다는 게 느껴지기 때문이다. 그리고 시를 쓰면 좋은 점은 자신의 생각과 자신의 마음을 담아서 시를 쓰면 좋다. 그리고 자신이 느낀 점과 자신의 감정을 잘 나타낼 수 있어서 시를 쓰면 좋다.

김수범

친구들 시를 보면
진짜진짜 잘 썼는데
왜 나만 못 쓴 것 같을까
나는 친구들처럼 잘 쓰고 싶은데
왜 나만 못쓴다고 느껴질까
나는 큰 고민에 빠졌다
그래서 잘 쓰려고 노력하고
또 노력하고 계속 노력했다
그랬더니 어느 새 친구들보다 잘 쓰게 됐다
이게 바로 노력의 힘일까
나는 또 고민에 빠졌다.

박시율

학교에서 시를 쓴 뒤로 시를 잘 쓰게 됐어요. 시를 쓴 덕분에
좋은 경험을 했어요. 시를 쓰는 게 너무 재미있어요

김상우

국어시간 선생님이 설명한다.

지루해~

선생님이 시를 쓰라고 종이를 주신다.

흰 종이에 뭘 써야 하지?

다른 친구들의 종이는 글로 꽉~

내 종이는 개미 만한 글 밖에.

종이 치기 전 종이를 선생님이 거둔다.

두근두근 어떡하지?

선생님이 쉬는 시간에 내 거를 보면 어떡하지?

종이 치고 쉬는 시간

어떡해 안절부절해.

선생님이 날 보고 웃는다.

어라? 분명 조금밖에 안 썼는데?

괜찮았나? 내가 그림을 잘 그렸나?

한채윤

나는 시를 쓰는 게 참 좋다. 왜냐면 마음을 편안하게 해주거든. 그래서 시가 좋고 시를 어떻게 쓸지도 생각하고 내 시가 마음에 안 들 때도 있지만 난 그래도 시쓰기가 참 좋다.

이온율

별처럼 빛나는 우리

그림·김시연 3학년 김해삼계초 애니바스

교실에서 시를 쓴 이야기

아이들과 본격적으로 시쓰기를 하고 책을 만들기 시작한 두 번째 해이다. 책읽기와 글쓰기는 교사가 된 이후로 꾸준히 해 왔지만 시를 쓰는 것은 오래 되지 않았다. 왜 시를 써야 하는 것일까?

시는 주변을 자세히 살펴보고 관찰하는 데서 시작한다. 주변의 사물도 살펴보고, 사람도 살펴보고, 자기자신도 살펴보아야 한다. 그 중에서 내가 가장 강조하는 것은 자신을 들여다보는 일이다. 시를 쓸 때에 다른 누군가가 아닌 자신의 감정, 자신의 경험을 쓸 것을 늘 힘주어 이야기 한다.

자신의 마음에 무엇이 있는지, 무엇을 좋아하고 싫어하는지, 어떨 때 기쁘고 슬픈지, 무엇을 잘하고 좋아하는지, 어떤 사람이 되고 싶은지, 어떤 사람과 친하게 지내고 싶은지 등을 살펴보고 그것을 자신의 말로 자신의 경험과 삶에 연결하여 표현하는 것이 시이고, 시쓰기이다. 마음이 없는 요즘 아이들에게 가장 필요한 것이 그것이 아닌가 한다.

　마음이 없다는 것은 자신을 들여다볼 줄 모른다는 의미이다. 그래서 자신의 마음 속 풍경이 어떤지 모르고, 자신의 감정을 알지 못하고, 그것을 말이나 글로 표현할 줄은 더더욱 모르는, 자극적이고 짧은 영상에만 집중하는 비쥬얼 세대인 이 아이들에게 가장 필요한 것이 바로 시쓰기를 통한 자신과 만나기이다.

　요즘 아이들은 MBTI에 열광하는데, 자신이 어떤 유형인지를 알고자 하는 마음의 표현이라고 할 수 있겠다. 자신을 잘 아는 것이 성장과 성공의 밑받침이다. 다중 지능 이론 중에는 "자기 이해 지능"이라는 것이 있는데, 이게 바로 자신을 아는 능력이다. 이 지능을 가진 사람이 성공한다. 김연아도 예체능 지능과 더불어 자기 이해 지능이 아주 뛰어났다.

　그런데 일 년 동안 교실에서 시를 써 왔지만, 의외로 아이들이 가장 쓰기 힘들어한 것이 자기 자신에 관한 것이었다. 조금

놀라웠다. 왜 그럴까 깊이 생각해 보면 놀랄 일도 아닌 것이, 어른들도 자신이 어떤 사람인지 잘 알고 있는 사람은 드물기 때문이다.

 누군가 정해준 꿈을 꾸며 살고, 누군가 정해준 길을 그냥 따라가면 살기 쉽다. 심지어 어떤 옷을 입을지, 무엇을 먹을지, 어떤 방과후를, 어떤 학원을 다닐지 조차도 누군가 다 정해준 것을 하고 있는 아이들이다. 스스로 선택하거나 결정해 본 것이 별로 없다. 그걸 고민해 봐야 한다는 생각조차 하지 못했을 것이다. 그러니 자기 자신에 대해서 모를 수밖에.

 그래서, 더욱 더 "내가 누구인가"에 대해 깊이 생각해 보고 글로 써 보는, 시를 쓰는 시간이 필요한 것이다.

나의 교실에서는 매월 동요를 한 곡씩 배우고 부른다. 백창우와 굴렁쇠 아이들이 부르는 노래로, 아이들이 직접 쓴 시에 곡을 붙인 노래를 아이들 목소리로 부른 노래들이다. 4부의 시들 중 내가 되고 싶은 것에 대해 쓴 시들은 5월의 노래 "완행버스"를 차용하거나 바꿔 쓴 시들이다. 완행버스의 가사는 다음과 같다.

완행버스

아버지가 손을 들어도,
내가 손을 들어도
가던 길 스르르 멈추어 선다
언덕길 힘들게 오르다가도
손 드는 우리들을 보고는
그냥 모른 척 지나치질 않는다
우리 마을 지붕들처럼
흙먼지 뒤집어쓰고 다니지마는
이 다음에 나도 그런
완행버스 같은 사람이 되고만 싶다
길 가기 힘든 이들 모두 태우고
언덕길 함께 오르고만 싶다

이 외에도 햇볕, 우리 어머니, 내가 고래라면, 깜장잿빛하얀 토끼, 강아지똥, 우리말 노래, 별, 봄아 오너라 등의 노래를 배우고 매일 하루 열기 시간에 부른다. 노래 가사에 기대어 내가 아이들에게 해주고 싶은 말을 대신 하고, 아이들이 매일 불러 그냥 머리 속에, 마음 속에 저절로 스며들게 하는 것이다.

[햇볕]으로는 온 세상에 편견없이 퍼주는 사랑을, [완행버스]로는 세상에 도움이 되는 사람으로 자라나라는 기대를, [깜장잿빛하얀 토끼]로는 서로 다름을 이해하고 포용하는 관용을, [강아지똥]으로는 자신을 있는 그대로 사랑하는 자존감을, [우리 어머니]로는 어머니에 대한 사랑을, [별]로는 아름다운 음악과 자연을 음미하는 정서 같은 것을, 내가 일일이 잔소리로 가르치지 않아도 아이들이 노래를 부르며 새기는 것이다.

시에 곡을 붙인 노래에는 아이들의 마음을 끌어당기는 힘이 있다. 아이들은 쉬는 시간이나 점심시간, 체험학습을 가는 버스 안에서 시키지 않아도 스스로 노래를 흥얼거린다. 그리고 그 시들이 아이들의 삶에 녹아들어, 삶이 곧 시가 된다는 것을 아는 사람으로 성장하게 될 것이라고 나는 믿는다.

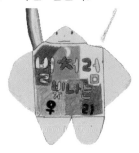

아플 때 엄마가 순간이동 해서 와주신 건 감동인데 다 나아도 맛있는 걸 안 사 주셔서 속상한 상우, 학교 갈 시간이 빨리 다가오는 것이 슬픈 수범, 엄마가 해준 음식은 맵다고 안 먹으면서 매운 과자는 잘 먹는 편식쟁이 동생이 얄미운 시윤, 시끌벅적 마트에 온 것 같아도 피구가 재미있는 태윤, mbti는 달라도 친구가 좋은 다솜, 피구심판을 한 날, 공이 펑펑 튀어 펑의 날이라고 기억하는 다흰, 방학에도 방과후를 가야 하는 건 싫지만 하이원 테마파크에 가는 건 좋은 시율,

느린 형에게 게을름보라는 새로운 낱말을 만들어 준 시형, 친구들이 절교하자고 할 때 빡치는 지후, 마음대로 꾸는 꿈이지만 나에게만 악몽이 있는 것 같아 걱정스러운 준석, 비와 달팽이, 도마뱀, 새싹 모든 것과 친구가 되는 승연, 친구들이 너무 좋아 민들레처럼 붙어 있는 것 같다는 다율, 평범한 나날의 행복을 벌써 깨달아 버린 우영, 둘이서 바라보며 웃음참기 놀이만 해도 너무나 즐거운 여준이와 서준,

태권도에 처음 갔을 때 친한 친구가 없을까 봐 긴장했다는 준모, 세상에 소중하지 않은 건 없다는 것을 아는 지훈, 이기고 지는 것보다 가족과 함께 하는 것이 진짜 행복임을 아는 홍주, 동생 때문에 늘 힘들지만 그래도 동생을 너무 사랑하고, 엄마 심부름 하는 것이 제일 좋은 하얀, 운동회 때 잠깐만 기다리라고 하는 것이 너무 싫은 윤, 세상에 힘들지 않은 것은 없다는 것을 깨달은 혜진, 숙제할 때는 시간이 너무 안 가 숙제하다 죽을 것 같다는 은우, 학교 끝나면 친구들하고 놀고,

집에 가면 게으름뱅이처럼 웃는 게 행복이라는 채윤, 친구랑 싸우고 미안한 마음을 가질 줄 아는 온율, 모두 1년 동안 함께 함에 고마움을 전한다.

　몸이 자라는 것은 눈에 보이지만, 마음이 자라는 것은 눈에 보이지 않는다. 키를 키우듯 마음도 소중히 키우는 사람이 되기를 바란다. 우리 아이들이 지금 10살 인생의 가장 소중한 세상인 가족과 친구를 넘어 세상을 따뜻한 햇볕으로 가득 채우는 사람으로 자라기를 바란다.

　2023년 12월
　남평초등학교 3학년 3반
　담임 이정아

부록 - 함께 읽은 시집들

아버지 월급 콩알만 하네, 사북초어린이시, 임길택편, 보리, 2006

물뿌리개 하늘, 윤동주 외, 루덴스, 2010

z교시, 신민규, 문학동네, 2017

까불고 싶은 날, 정유경, 창비, 2010

사과의 길, 김철순, 문학동네, 2014

내 입은 불량 입, 경복봉화분교어린이들, 크레용하우스, 2013

가랑비 가랑가랑 가랑파 가랑가랑, 정완영, 사계절, 2007

초코파이 자전거, 신현림, 비룡소, 2007

김치를 싫어하는 아이들아, 김은영, 창비, 2001

엄마의 런닝구, 한국글쓰기연구회, 보리, 1995

까만 손, 탁동철, 보리, 2002

콩, 너는 죽었다, 김용택, 실천문학사, 1998

팝콘 교실, 문현식, 창비, 2015

신발 속에 사는 악어, 위기철, 사계절, 1999

프라이팬을 타고 가는 도둑고양이, 김륭, 문학동네, 2009

아빠를 딱 하루만, 김미혜, 창비, 2008

나무와 바람 군사, 다압초등학교어린이들, 도서출판소야주니어, 2016

우리 반 과일 장수, 서울재동초등학교어린이, 고래책빵, 2019

요놈의 감홍시, 초등학생 시, 이호철 편, 보리, 2005

일하는 아이들, 이오덕, 보리, 2002

사랑 먼저 놀 거야, 강승숙, 낮은산, 2014

어린이 인성 사전, 김용택, 이마주, 2015

다 아는데 자꾸 말한다, 주순영, 보리, 2013
거북이 친구들의 꽃 피는 세상, 남평초어린이, 부크크, 2022
고맙습니다, 경운초등학교 어린이, 북극곰, 2021
샬그락 샬그란 샬샬, 삼척 서부초등학교 어린이, 보리, 2012
달팽이는 지가 집이다, 김용택, 푸른숲 주니어, 2021